Cap au pôle Nord

Les mots du texte suivis du signe * sont expliqués
sur le rabat de couverture.

www.flammarion-jeunesse.fr

Éditions Flammarion – 87, quai Panhard-et-Levassor – 75647 Paris Cedex 13
ISBN : 978-2-0812-2074-4 – N° d'édition : L.01EJEN000295.C005
Dépôt légal : février 2009
Imprimé en Espagne par Liberdúplex – 07-2017
Loi n° 49-956 du 16 juillet 1949 sur les publications destinées à la jeunesse.

Paul Thiès

Louis Alloing

Cap au pôle Nord

Castor Poche

Chapitre 1

Ça commence bien !

Après un long voyage, le bateau du capitaine Fourchette, le *Bon Appétit,* a découvert un trésor, l'Œil de l'Est, un merveilleux miroir d'or et d'argent qui appartenait à l'empereur de Russie.

Des tas de pirates le cherchaient partout, jusqu'à ce que le capitaine Fourchette le découvre, loin, loin, presque au pôle Nord.

Le capitaine Fourchette est un gentil pirate : il cherche des trésors pendant la semaine et il mange du requin rôti le dimanche. Les méchants pirates, eux, massacrent tout le monde et en plus, ils volent les trésors des gentils pirates, même le dimanche !

Mais le capitaine Fourchette est très gentil. La preuve, c'est qu'avant, il était pâtissier. Comme il aimait les voyages, il a vendu sa pâtisserie pour acheter le *Bon Appétit*. Mais il a donné des noms de gâteau à tous ses enfants.

Il y a, dans l'ordre : Madeleine, Honoré, Parfait et Charlotte, et puis Angélique et Amandine, les jumelles, qui sont encore toutes petites. Alors que Parfait, lui, est grand. Enfin… assez grand. *Hum hum*… disons moyen…

Bon, bon, pas trop petit.

Par contre, Parfait est un peu maigrichon, alors on l'appelle Plume. Mais un jour, il deviendra un GRAND pirate (mais gentil quand même !) et il explorera les sept mers avec sa copine, Perle et son meilleur ami, Petit-Crochet.

Perle et Petit-Crochet accompagnent justement la famille Fourchette dans leur chasse au trésor. Ils dansent de joie autour de l'Œil de l'Est. Le miroir est magnifique ! Plume se sent beau, fort, courageux, héroïque et carrément magnifique rien qu'en s'y regardant.

Mais le lendemain, au réveil, Plume est intrigué : le bateau ne bouge plus.

Plus du tout. Les enfants se lèvent, quittent leur cabine, sortent sur le pont.

Là, ils s'aperçoivent que le *Bon Appétit* est pris dans la glace, coincé sur la banquise ! Il est prisonnier de l'hiver !

Le capitaine Fourchette, sa femme Marguerite, Madeleine, Honoré et le mousse Juanito, rejoignent les enfants. La situation est grave.

– C'est une catastrophe ! s'exclame le capitaine Fourchette.
– Un véritable cataclysme* ! renchérit Maman Marguerite.

Seuls Madeleine et Juanito, son amoureux, gardent leur calme.
– Quelle chance, murmure le garçon, les longues nuits d'hiver sont tellement romantiques...
– Tout ce blanc, on dirait un mariage... ajoute la jeune fille.

Honoré, lui, bâille à s'en décrocher la mâchoire. Il n'a pas assez dormi. Il se dirige vers son canon préféré pour s'offrir une petite sieste à l'intérieur, mais... impossible d'y entrer : la glace bouche la gueule du canon.

Soudain, un gémissement attire l'attention de Plume : Flic-Flac, le dauphin apprivoisé de Petit-Crochet n'arrive plus à nager. Il faut l'aider ! Plume et Petit-Crochet sortent des haches de la cale* et brisent la glace autour du dauphin.

Flic-Flac est sauvé !

Une chasse au trésor a conduit les Fourchette au pôle Nord mais le *Bon Appétit* se retrouve prisonnier de la banquise.

Chapitre 2

La banquise

Le *Bon Appétit* est bloqué pour un bon moment mais les enfants sont ravis. Certes, ils adorent l'eau tiède des Caraïbes, mais ils n'ont jamais pris de vacances d'hiver.

Pour commencer, ils se fabriquent des patins à glace avec le bois d'un vieux tonneau. Au début, ils se cassent la figure ! Heureusement, les petits pirates, habitués à grimper dans les voiles, ont le sens de l'équilibre. Plume et Perle se tiennent par la main et ils dessinent des 8, des 88 et même des 808 sur la glace.

Les enfants font des bonhommes de neige en forme de méchants pirates, ensuite ils organisent une bataille de boules de neige : garçons contre filles, puis les Fourchette contre Juanito, Perle et Petit-Crochet. Plume n'en peut plus ! Il a même de la neige dans les oreilles !

Plus tard, les enfants escaladent les icebergs qui entourent le bateau. Le *Bon Appétit* semble bien minuscule dans ce monde étrange, un univers de farine et de sucre, de givre et de cristal. C'est beau… et un peu effrayant. Et si le *Bon Appétit* ne quittait plus cette prison étincelante ? Plume en frissonne.

– Courage, murmure Perle. On en a vu d'autres, non ?

Plume lui sourit et ils rejoignent Charlotte et Petit-Crochet occupés à élargir le trou où le pauvre Flic-Flac se dégourdit les nageoires. Le dauphin tourne en rond de plus en plus vite pour se réchauffer. Il plonge sous l'eau et *hop* ! il remonte à la surface avec un joli poisson bleu et gris.

Et il recommence dix fois de suite. Il est drôlement doué ! Tarte aux Pommes et Noix de Coco, qui adorent le poisson, le félicitent en battant des ailes.

Une demi-heure plus tard, le capitaine Fourchette leur sert un délicieux ragoût de poisson. Les enfants s'en lèchent les babines, mais Maman Marguerite semble soucieuse.

– Ça ne va pas ? s'inquiète Plume.

– Il ne nous reste guère de provisions, répond sa maman.

– Tu veux dire qu'on va… mourir de faim ? bredouille Plume, épouvanté.

Maman Marguerite pousse un grand soupir. Le capitaine Fourchette baisse la tête. Les enfants se regardent en silence. La situation est grave !

Ce soir-là, pendant que le capitaine Fourchette et Maman Marguerite examinent la coque du *Bon Appétit*, toujours prisonnier des glaces, les enfants discutent entre eux. La plus inquiète, c'est Perle. Après tout, même si son papa adore la soupe de légumes, elle vient d'une famille de cannibales. Et chez les cannibales, la nourriture, c'est sacré !

Les vacances d'hiver sont moins drôles quand les provisions commencent à manquer.

Chapitre 3

Alerte aux ours !

Le lendemain matin, à l'aube, Plume sent quelque chose de très doux lui chatouiller la plante des pieds.
– Tarte aux Pommes, fiche-moi la paix ! proteste le garçon. J'ai sommeil.

Il croit que son perroquet le taquine du bout de l'aile.

– *GRRRRRRRR !!!*

Plume sursaute dans son hamac. Tarte aux Pommes n'a jamais grogné comme ça ! Plume se redresse. Il se frotte les yeux et découvre… un ours blanc ! Un énorme ours blanc qui lui renifle les orteils !

Au même instant, des cris d'épouvante ébranlent le navire : des ours ont envahi le *Bon Appétit* !

Malheur ! Il y a des ours partout ! Le plus gros menace le capitaine Fourchette, un autre coince Maman Marguerite contre le grand mât, un troisième mordille d'un air gourmand les chevilles d'Honoré enfin installé dans son canon.

Il rentre vite ses pieds mais l'ours regarde à l'intérieur ! Les dents d'Honoré claquent au fond du canon.
– *Hé hé hé,* plaisante Plume malgré le danger. Il joue des castagnettes* !
– Il a du rythme, approuve Charlotte.
– Moi, je me demande d'où viennent ces ours, intervient Petit-Crochet. Ils n'attaquent pas, comme si…
– Comme s'ils étaient dressés ! s'écrie Plume.
– C'est impossible ! répond Charlotte. Les ours blancs sont très féroces, encore plus sauvages que les ours bruns d'Europe ou les grizzlis d'Amérique.
– Justement ! s'étonne Petit-Crochet. Ils devraient nous dévorer !

Au même instant, un son étrange résonne, très loin du *Bon Appétit*. Une corne de brume* ! Aussitôt qu'ils l'entendent, les ours s'immobilisent...

– Tu as raison, souffle Charlotte. Ils sont apprivoisés. Leur maître les appelle !

– Il faut absolument savoir qui les envoie ! décide Plume.

Des ours polaires dressés ont envahi le *Bon Appétit*. Les enfants voudraient savoir qui les a envoyés.

Chapitre 4

Vers le Nord

Le mystérieux maître des ours aidera peut-être les naufragés des glaces. Mais le capitaine Fourchette, sa femme et les plus grands des enfants se méfient de la glace trop mince pour leur poids.

Les plus jeunes partiront donc seuls.
– Soyez très prudents, leur recommande le capitaine.
– Oui ! répond fièrement Plume. N'ayez pas peur, nous sauverons le *Bon Appétit* !

Plume, Perle, Charlotte et Petit-Crochet s'équipent aussi chaudement que possible. Ils disent au revoir puis ils se lancent dans l'immense plaine glacée. Les ours blancs les surveillent toujours, et l'un d'eux marche devant, comme pour les guider...

Le voyage est lent, pénible. Les enfants trébuchent de fatigue, ils risquent à chaque instant de dégringoler dans d'horribles crevasses*. Ils aperçoivent parfois quelques pingouins. Tarte aux Pommes et Noix de Coco essaient bien de discuter avec eux, mais ils les trouvent vraiment trop bêtes !

La nuit approche, il fait très sombre, très froid, alors les vaillants voyageurs se réchauffent… en s'embrassant. Eh oui, s'embrasser sous les étoiles et dans la neige, ça fait du bien, ça donne du courage. Plume se sent bien mieux ! Hélas, il fait de plus en plus froid…

– On ne peut pas continuer, grogne Petit-Crochet. C'est trop dangereux.
– J'ai une idée ! s'exclame Plume. Tarte aux Pommes ! Viens ici !

Le perroquet se pose aussitôt sur la main du garçon. Plume fouille dans son sac, en tire une grosse bougie et la fixe sur la tête de Tarte aux Pommes. Le perroquet proteste mais Plume lui explique sévèrement :
– Obéis ! Dans le noir, nous risquons de tomber dans une crevasse !

Il allume la bougie et ordonne :
– Vas-y ! Vole devant nous pour nous éclairer.

Tarte aux Pommes claque du bec, comme pour dire oui, et il s'envole en éclairant le chemin.
– Plume, tu es génial ! s'écrie Perle.

Elle allume une seconde bougie et la pose sur la tête de Noix de Coco. L'expédition continue !

Vers minuit, l'ours « guide » s'arrête au pied d'un iceberg qui ressemble à un donjon de glace. On croirait le château de la Reine des Neiges, gardé par deux autres ours blancs. Plume frissonne. Il se sent plus petit qu'un flocon de neige.

– J'espère qu'ils n'aiment pas le dessert, par exemple le parfait glacé et la charlotte à la crème... plaisante Charlotte d'une voix faible.

– Ils montent la garde, devine Petit-Crochet. Leur maître nous attend au sommet. Regardez, il y a un escalier taillé dans la glace, derrière eux.

– Allons-y ! décide Plume.
– D'accord ! répond Perle en lui souriant pour l'encourager.

L'escalade est longue, glissante et angoissante. Plume se demande nerveusement quel genre d'ogre les guette en haut…

Au sommet de l'iceberg, les enfants découvrent un homme vêtu de peaux de phoque et d'énormes fourrures. Il tient sa corne de brume à la main.
– Je vous attendais ! lance l'inconnu. Je suis le capitaine Pamplemousse, le roi des ours ! Et maintenant, vous êtes mes prisonniers !

Plume et ses amis suivent la piste des ours et tombent sur leur maître, l'effrayant capitaine Pamplemousse.

Chapitre 5

L'Œil de l'Ouest

Les enfants n'en mènent pas large. Le capitaine Pamplemousse est drôlement impressionnant avec toutes ses fourrures, ses sabres, ses pistolets. On croirait trois ours à la fois !

– *Heu… hum…* bonjour, capitaine, bredouille Plume d'une voix timide.
– Silence ! rugit le maître des ours. J'étais le capitaine du *Conquérant* et je me suis retrouvé pris dans les glaces. À l'époque, je cherchais l'Œil de l'Ouest, le miroir de l'empereur de Russie.
– Ça alors, comme nous avec l'Œil de l'Est, murmure Perle.
– Les trésors ne m'intéressent plus, soupire le capitaine Pamplemousse. Je suis ici depuis trop longtemps. La glace a détruit le *Conquérant*. Heureusement, les ours sont devenus mes amis. Ils m'aident à chasser, à pêcher, et à passer le temps. J'attends un autre bateau pour retrouver les Caraïbes. Je vous ai repérés

avec ma longue-vue et j'ai envoyé mes ours à votre rencontre.

– Mais le *Bon Appétit* est pris dans les glaces, lui aussi ! se désole Plume.
– Alors vous ne quitterez jamais la banquise, réplique le capitaine Pamplemousse d'une voix sinistre.

Les enfants se regardent, épouvantés, jusqu'à ce que Plume s'écrie :
– J'ai une idée ! Vous avez toujours l'Œil de l'Ouest, n'est-ce pas ? Venez avec nous sur le *Bon Appétit*. Je sais ce qu'il faut faire !

Le voyage de retour dure toute la matinée. Vers midi, un soleil pâle domine la plaine glacée. Le *Bon Appétit*, toujours immobile, déploie ses belles voiles blanches. Les ours arpentent la banquise. Flic-Flac, bien à l'abri dans son trou, les observe avec méfiance.

Plume, le cœur battant, se demande si son plan fonctionnera. Il suit avec angoisse la course du soleil. Juanito et Plume, perchés dans les voiles, tiennent face à face l'Œil de l'Est et l'Œil de l'Ouest, les deux fabuleux miroirs.

Ça y est ! Il est midi pile !

– Maintenant ! annonce Plume.

Juanito et Plume ferment les yeux. Les rayons du soleil touchent le premier miroir, ils rebondissent sur le second, puis ils frappent la banquise, juste devant le *Bon Appétit*.

Plume, qui est très savant pour un gentil pirate, sait que les miroirs augmentent la force du soleil. Il suffisait d'y penser ! La glace fume, fond, et se brise en mille morceaux. La voie est libre ! Le *Bon Appétit* peut repartir !

Flic-Flac danse de joie sur sa queue. Le capitaine Pamplemousse salue les ours avec son grand mouchoir à carreaux. Ensuite, il se mouche dedans ! Il est triste de quitter ses amis poilus.

Et soudain, il saute à terre et déclare :
– Tant pis ! J'aime trop mes ours ! Je vous fais cadeau de mon miroir mais moi, je reste ici ! Après tout, il y a du poisson et de la glace à tous les repas !

Les ours, ravis, lui donnent des grands coups de langue ! Mais le vent gonfle les voiles, le capitaine Fourchette sifflote à la barre, Maman Marguerite consulte la boussole. Vite, il faut partir !
– Au revoir ! Au revoir ! crient les enfants en saluant le capitaine Pamplemousse à cheval sur le plus gros des ours.

Le *Bon Appétit* s'éloigne. Plume, qui mérite une récompense, s'admire dans les miroirs. Eh oui, les petits pirates sont parfois vaniteux…

– Bravo ! Brrravo !! lui crie Tarte aux Pommes.

– Chapeau ! T'es beau !!! hurle Noix de Coco.

– Ça, c'est vrai, sourit Perle en embrassant son copain qui rougit comme une plume… de perroquet. Mon Plume est le plus beau de tous les petits grands pirates !

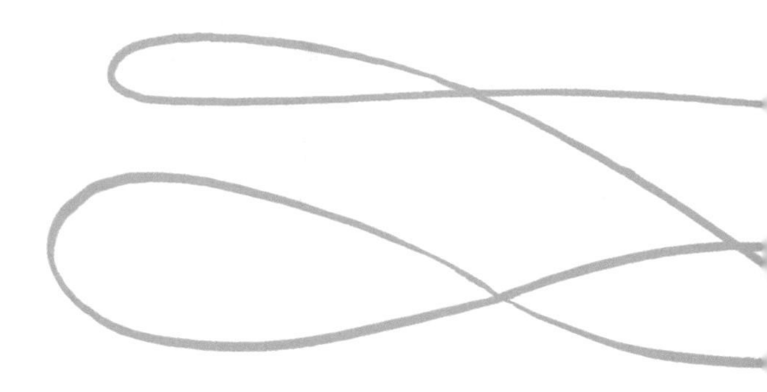

❶ L'auteur

Paul Thiès est né en 1958 à Strasbourg, mais au lieu d'une cigogne, c'est un bel albatros aux ailes blanches qui l'a déposé dans la cour de la Maternelle. C'est que Paul Thiès est un grand voyageur, un habitué des sept mers et des cinq océans ! Il a fréquenté les galions d'Argentine, les caravelles espagnoles, les jonques du Japon, les jangadas du Venezuela et encore d'autres galions dorés au Mexique. Sans compter les bateaux-mouches sur la Seine et les chalutiers de Belle-Île-en-Mer ! Paul Thiès est donc un spécialiste des petits pirates, des vilains corsaires, des féroces boucaniers, des redoutables frères de la Côte, bref des forbans de tous poils ! Mais c'est Plume son préféré !
Alors, bon voyage et... à l'abordage !

❷ L'illustrateur

Louis Alloing

« La mer, je l'ai eue comme paysage depuis que je suis né. D'abord à Rabat, Maroc 1955, puis à Marseille. La mer Méditerranée. Une petite mer que j'imaginais parsemée de petites îles, de petites vagues, de petits pirates et qui sentait bon. Bon comme celle des Caraïbes. Comme celle de Plume et de Perle.
Maintenant à Paris, privé de la lumière du sud, de cet horizon bleu outremer, je divague sur la feuille à dessin. Je me laisse porter par la vague qui me mène sur les traces de Plume et de ses potes, et c'est pas simple. Ils bougent tout le temps ! Une vraie galère pour les suivre, accroché à mon crayon comme Plume à son sabre. Une aventure. Et pas une petite, une énorme... avec des petits pirates. »

Table des matières